CB121537

café com Deus Pai kids

café com Deus Pai kids

JUNIOR ROSTIROLA

Vida

Vida
Editora Vida
Rua Conde de Sarzedas, 246 — Liberdade
CEP 01512-070 — São Paulo, SP
Tel.: 0 xx 11 2618 7000
atendimento@editoravida.com.br
www.editoravida.com.br
@editora_vida /editoravida

Editor responsável: Gisele Romão da Cruz
Editor-assistente: Aline Lisboa M. Canuto
Preparação de texto: Amanda Santos
Ilustração: Stephanye Oliveira
Revisão de provas: Elaine Freddi, Emanuelle G. Malecka
Projeto gráfico: Claudia Fatel Lino
Diagramação: Claudia Fatel Lino, Willians Rentz
Capa: Amanda Stofela e Jonatas Cunico

CAFÉ COM DEUS PAI KIDS

©2022, Junior Rostirola

Todos os direitos desta edição em língua portuguesa são reservados e protegidos por Editora Vida pela Lei 9.610, de 19/02/1998.

É proibida a reprodução desta obra por quaisquer meios (físicos, eletrônicos ou digitais), salvo em breves citações, com indicação da fonte.

Texto bíblico extraído de A Mensagem: *Bíblia em Linguagem Contemporânea,* Copyright © 2012, por Editora Vida. Edição publicada com permissão contratual de NavPress, uma divisão da The Navigators, EUA.

Todas as citações bíblicas e de terceiros foram adaptadas segundo o Acordo Ortográfico da Língua Portuguesa, assinado em 1990, em vigor desde janeiro de 2009.

As opiniões expressas nesta obra refletem o ponto de vista de seus autores e não são necessariamente equivalentes às da Editora Vida ou de sua equipe editorial.

Os nomes das pessoas citadas na obra foram alterados nos casos em que poderia surgir alguma situação embaraçosa.

Todos os grifos são do autor, exceto os indicados.

1. edição: out. 2022
1. reimp.: jan. 2023
2. reimp.: maio 2023
3. reimp.: jul. 2023
4. reimp.: jul. 2023

Dados Internacionais de Catalogação na Publicação (CIP)
(Câmara Brasileira do Livro, SP, Brasil)

Rostirola, Junior
Café com Deus Pai Kids / Junior Rostirola. -- São Paulo : Editora Vida, 2022.

ISBN 978-65-5584-318-7
e-ISBN: 978-65-5584-336-1

1. Deus (Cristianismo) 2. Literatura devocional 3. Vida cristã I. Rostirola, Junior. II. Título.

22-121886 CDD-242

Índices para catálogo sistemático:

1. Literatura devocional : Cristianismo 242
Eliete Marques da Silva - Bibliotecária - CRB-8/9380

SUMÁRIO

ESTUDO 1

1JOÃO 3.1

ESTUDO 2

JOÃO 15.11-15

ESTUDO 3

ROMANOS 5.6-8

INTRODUÇÃO

OLÁ, AMIGUINHO!

QUE ALEGRIA PODER APRESENTAR A VOCÊ O AMOR DO NOSSO DEUS PAI.

PREPARAREI COM MUITO CARINHO ESTUDOS SOBRE A PALAVRA DE DEUS PARA AJUDAR VOCÊ A CONHECER E VIVER MAIS PERTO DO PAI.

VENHA TOMAR UM **CAFÉ COM DEUS PAI** JUNTO COMIGO!

JUNIOR ROSTIROLA

ESTUDO 1

LEIA 1JOÃO 3.1

O PAI QUE AMA

VOCÊ SABE QUEM É DEUS?

DEUS É AMOR.

DEUS MOSTRA O SEU AMOR POR NÓS A CADA DIA: ELE NOS ENVIA O SOL, A CHUVA, FAZ OS VEGETAIS CRESCEREM E AS ÁRVORES DAREM OS SEUS FRUTOS PARA NOS ALIMENTAR.

ELE PODE FAZER MUITAS COISAS BOAS PARA QUEM ACEITA ESSE AMOR. O SENHOR MOSTRA A CADA MOMENTO QUE CUIDA DE NÓS. DEUS É UM PAI ATENCIOSO.

ELE SABE COMO CADA UM DE NÓS SE SENTE AMADO E DEMONSTRA SEU AMOR DE FORMA ÚNICA EM NOSSA VIDA.

DEUS TEM UM AMOR TÃO GRANDE POR MIM QUE ME TORNOU FILHO DELE. EU AMO ESTAR BEM PERTO DE DEUS, POR ISSO ORO E LEIO A BÍBLIA TODO DIA.

VOCÊ TAMBÉM PODE VIVER ESSE AMOR.

ORAÇÃO

DEUS, AGRADEÇO POR SER MEU PAI E POR TEU AMOR. AMÉM.

ENCONTRE 1JOÃO 4.16 EM SUA BÍBLIA,
LEIA O VERSÍCULO E USE O BANCO DE PALAVRAS
PARA PREENCHER OS ESPAÇOS.

ASSIM ______________
O AMOR QUE DEUS TEM
POR NÓS E ____________
NESSE AMOR.
DEUS É ___________.

TODO AQUELE QUE
____
NO AMOR PERMANECE
EM _______________,
E DEUS NELE.

1JOÃO 4.16

AMOR	PERMANECE	CONFIAMOS
DEUS	CONHECEMOS	

O GRANDE AMOR DE UM PAI

TUDO O QUE VOCÊ FAZ
MOSTRA O **AMOR DE DEUS**
QUE EXISTE EM VOCÊ.

O AMOR DE DEUS É TÃO
GRANDE QUE NÃO CONSEGUIMOS
GUARDÁ-LO SÓ PARA NÓS.

QUANDO VOCÊ SENTE ESSE AMOR, QUER CONTAR PARA TODO MUNDO, PORQUE É MUITO BOM.

QUANDO EU NÃO ESTOU BEM, SEI QUE O PAI QUE ESTÁ NO CÉU ME DEIXA MELHOR.

EU QUERO QUE TODOS OS MEUS AMIGOS
TAMBÉM CONHEÇAM O AMOR DE DEUS.
EU NUNCA ME SINTO SOZINHO COM ESSE AMOR.
É UM AMOR MAIOR QUE O MUNDO TODO, E EU O
SINTO DENTRO DO MEU CORAÇÃO.

EXISTEM DIVERSAS FORMAS DE DEMONSTRAR AMOR. VEJA ALGUMAS E DEMONSTRE SEU AMOR TAMBÉM!

DIZER A ALGUÉM O QUANTO AMA ESSA PESSOA.

ARRUMAR SEU QUARTO SEM NINGUÉM PEDIR.

DAR UM ABRAÇO.

COMPARTILHAR SEUS BRINQUEDOS.

SEGURAR A PORTA PARA ALGUÉM PASSAR.

TELEFONAR PARA SEUS AVÓS.

DIZER A ALGUÉM "JESUS TE AMA".

OFERECER-SE PARA AJUDAR ALGUÉM.

DIVIDIR SEU LANCHE NA ESCOLA.

ORAÇÃO

DEUS, AGRADEÇO POR CONSEGUIR SENTIR TEU AMOR TÃO GRANDE TODO DIA. AMÉM.

EXISTE AMOR MAIOR QUE ESSE?

VOCÊ SABE QUEM É JESUS?

JESUS É O PRINCIPAL HERÓI QUE DEVEMOS IMITAR E SEGUIR DE CORAÇÃO ABERTO PARA APRENDER TUDO O QUE ELE ENSINA. POR QUÊ? PORQUE JESUS É O **FILHO DE DEUS**!

JESUS VEIO A ESTE MUNDO PARA NOS ENSINAR A VIVER DO JEITO QUE DEUS GOSTA. O SENHOR NOS AMA MUITO E JESUS VEIO DIZER ISSO PARA TODAS AS PESSOAS, PARA O PAPAI, A MAMÃE, O VOVÔ, A VOVÓ, TIOS E TIAS. JESUS VEIO PARA MOSTRAR O CAMINHO QUE NOS LEVA PARA PERTO DE DEUS.

EU SEI QUE JESUS ESTÁ SEMPRE COMIGO, QUE POSSO CONTAR COM ELE E SEGUIR SEUS ENSINAMENTOS: AMAR MAIS, BRIGAR MENOS, OBEDECER AOS MEUS PAIS, RESPEITAR OS MAIS VELHOS, ORAR PELAS PESSOAS E PERDOAR.

TEMOS DE PRATICAR TUDO O QUE APRENDEMOS COM JESUS E ACEITÁ-LO COMO SALVADOR PARA NOS APROXIMARMOS AINDA MAIS DE DEUS.

OBSERVE AS FIGURAS E FAÇA UM DESENHO QUE DEMONSTRE A ATITUDE QUE JESUS TERIA EM CADA SITUAÇÃO.

ORAÇÃO

JESUS, AGRADEÇO POR ESTAR SEMPRE COMIGO E ME ENSINAR O QUE FAZER. AMÉM.

DEUS NOS CHAMA DE FILHOS

DEUS ESCOLHEU CHAMAR VOCÊ DE **FILHO**.

ELE AMA VOCÊ COMO UM PAI.

JESUS VIVEU NA TERRA PARA MOSTRAR COMO ERA SER FILHO DE DEUS. DEUS AMOU MUITO JESUS E AMA TODOS OS FILHOS DELE.

EU POSSO CONVERSAR COM DEUS, PORQUE JESUS ME ENSINOU COMO FAZER ISSO. DEUS ESTÁ SEMPRE COMIGO.

QUANDO EU SOU OBEDIENTE, ME PAREÇO AINDA MAIS COM JESUS. EU BUSCO FICAR MAIS PERTO DE DEUS A CADA DIA, PORQUE ELE ME ESCOLHEU PARA SER FILHO DELE.

FAÇA UM DESENHO DE JESUS COM VOCÊ.

ORAÇÃO

DEUS, EU AMO TER JESUS COMO EXEMPLO E PODER SEGUIR OS PASSOS DELE. AMÉM.

SOMOS FILHOS DO MESMO PAI

TODO MUNDO PODE SER **FILHO DE DEUS**. DEUS É UM PAI DE AMOR. SE VOCÊ ESCOLHE VIVER UMA VIDA COM DEUS, VOCÊ TEM DE SER IGUAL A JESUS.

É MUITO BOM PODER DIZER QUE SOU FILHO DE DEUS. ELE É UM PAI QUE ME AMA E ESTÁ SEMPRE PRONTO PARA ME OUVIR. DEUS SABE O QUE É MELHOR PARA MIM.

EU AGRADEÇO TODOS OS DIAS POR SER FILHO DELE.
DEUS GOSTA MUITO DE ME VER FELIZ.

VOCÊ GOSTARIA DE ACEITAR JESUS COMO SEU SALVADOR? ENTÃO, ABAIXE SUA CABEÇA, FECHE OS OLHOS E ORE ASSIM:

ORAÇÃO

SENHOR JESUS, EU SEI QUE FAÇO COISAS ERRADAS, PEÇO AO SENHOR QUE ME PERDOE E VENHA MORAR NO MEU CORAÇÃO. AMÉM.

ESTUDO 2

LEIA JOÃO 15.11-15

AMAMOS COMO DEUS NOS AMOU

VOCÊ SABE QUE **DEUS TE AMA**
E QUER VER VOCÊ FELIZ.

MAS VOCÊ SABIA QUE
DEVE AMAR OS OUTROS
DA MESMA FORMA QUE
DEUS AMA VOCÊ?

JESUS NOS ENSINOU
EXATAMENTE ISSO
QUANDO MOROU
NA TERRA.

EU SEI QUE TENHO DEUS DENTRO DE MIM QUANDO QUERO SER LEGAL COM MEUS AMIGOS E MINHA FAMÍLIA. QUANDO EU VIVO IGUAL A JESUS, CONSIGO AMAR AS PESSOAS COM MUITA ALEGRIA E É BEM FÁCIL. ÀS VEZES EU FICO BRAVA COM ALGUMA COISA, MAS LEMBRO DO AMOR DE DEUS POR MIM E FICO MAIS CALMA BEM RÁPIDO.

LEIA JOÃO 13.34 E COMPLETE COM AS PALAVRAS QUE ESTÃO FALTANDO.

UM _____ _________
DOU A VOCÊS: _________
UNS AOS OUTROS.

NOVO

AMEM-SE

MANDAMENTO

ORAÇÃO

DEUS, ME AJUDE A AMAR AS PESSOAS COMO TU ME AMAS. AMÉM.

A MELHOR MANEIRA DE AMAR

VOCÊ JÁ SABE QUE HÁ DIVERSAS FORMAS DE **DEMONSTRAR AMOR**. VOCÊ DEMONSTRA AMOR NO SEU DIA A DIA?

TODA VEZ QUE VOCÊ NÃO SOUBER SE ESTÁ FAZENDO ALGO POR AMOR, É SÓ LEMBRAR DE JESUS E PENSAR NO QUE ELE FARIA E VOCÊ VAI SABER A RESPOSTA.

QUANDO EU ACEITEI JESUS COMO MEU SALVADOR, O AMOR DELE ENCHEU O MEU CORAÇÃO. HOJE EU SEI O QUE É AMAR, PORQUE EU SINTO O AMOR DE DEUS POR MIM TODOS OS DIAS. MEU AMOR PELAS PESSOAS QUE ESTÃO AO MEU REDOR SÓ AUMENTA E EU SINTO O AMOR DELAS POR MIM TAMBÉM.

QUANDO EU LEIO A BÍBLIA E CONVERSO COM DEUS, ELE FALA COMIGO E ME ENSINA OS VALORES QUE DEVO SEGUIR PARA AMAR.

ORAÇÃO

DEUS, EU AGRADEÇO PELO TEU AMOR POR MIM E POR ME ENSINAR O QUE É AMOR. AMÉM.

PINTE AS PALAVRAS QUE SÃO VALORES QUE VOCÊ DEVE TER PARA DEMONSTRAR TODO O SEU AMOR.

DAR A VIDA PELOS AMIGOS

O VERSÍCULO QUE VOCÊ LEU PARA ESTES DIAS DIZ QUE A MELHOR MANEIRA DE AMAR É DAR A VIDA PELOS AMIGOS.

VOCÊ SABE O QUE ISSO QUER DIZER? DAR A VIDA POR ALGUÉM É FAZER O BEM. VOCÊ É COMO UMA ÁRVORE QUE DEVE SER REGADA COM AS **ATITUDES BOAS** QUE VOCÊ TEM PARA COM SEUS AMIGOS.

EU DOU A VIDA PELO MEU AMIGO QUANDO SOU LEGAL COM ELE E NÃO FICO BRIGANDO. AS PESSOAS DA MINHA FAMÍLIA, DA ESCOLA E DOS LUGARES QUE FREQUENTO PODEM SER MEUS AMIGOS. QUANDO EU OBEDEÇO A QUEM CUIDA DE MIM E FAÇO O BEM, EU TAMBÉM ESTOU AMANDO.

EU MOSTRO AMOR PELOS AMIGOS QUANDO FALO SOBRE JESUS PARA ELES E SOBRE TODO O AMOR DE JESUS POR NÓS.

ORAÇÃO

JESUS, EU QUERO DAR A VIDA PELOS MEUS AMIGOS E AMAR COM TODO O MEU CORAÇÃO, OBEDECENDO A DEUS. AMÉM.

ESCREVA NOS CORAÇÕES ATITUDES, VALORES
E BONS SENTIMENTOS QUE VOCÊ PODE TER
PARA REGAR SUA ÁRVORE DA BONDADE.

DEUS ME CHAMA DE AMIGO

QUEM É **AMIGO DE DEUS** NUNCA FICA SOZINHO. VOCÊ FOI ESCOLHIDO E PODE TER DEUS COMO SEU MELHOR AMIGO.

DEUS MOSTRA A AMIZADE DELE POR VOCÊ QUANDO COLOCA PESSOAS LEGAIS AO SEU REDOR PARA VOCÊ CHAMAR DE AMIGOS.

QUANDO EU DECIDI ACEITAR O CHAMADO DE DEUS PARA SER AMIGO DELE, TODA A MINHA VIDA MUDOU. EU NUNCA MAIS FIQUEI SOZINHO E, QUANDO ESTOU TRISTE, DEUS ENCHE O MEU CORAÇÃO DE ALEGRIA ENQUANTO EU CONVERSO COM ELE.

É MUITO BOM TER UM AMIGO COMO DEUS, QUE SEMPRE ME ENSINA A COISA CERTA A FAZER.

DESENHE VOCÊ E OS AMIGOS QUE DEUS TE DEU.

ORAÇÃO

DEUS, EU AGRADEÇO MUITO PORQUE O SENHOR É O MEU AMIGO E ESTÁ COMIGO TODOS OS DIAS. AMÉM.

DEUS ME CONTA SEUS PLANOS

VOCÊ E SEUS AMIGOS ESTÃO SEMPRE CONVERSANDO SOBRE **SEUS PLANOS**, NÃO É? COM DEUS TAMBÉM É ASSIM.

QUANDO VOCÊ SE TORNA AMIGO DE DEUS, ELE CONTA OS PLANOS DELE PARA QUE VOCÊ POSSA SEGUIR E OBEDECER. OS PLANOS DE DEUS SÃO SEMPRE PERFEITOS PARA VOCÊ.

EU SEI QUE DEUS CUIDA DE MIM PORQUE ELE SEMPRE ME CONTA O QUE QUER PARA A MINHA VIDA.

QUANDO EU ORO E LEIO A BÍBLIA, DEUS FALA AO MEU CORAÇÃO POR ONDE DEVO ANDAR. QUANDO EU OBEDEÇO, TUDO DÁ CERTO PARA MIM.

ORAÇÃO

DEUS, EU SEI QUE OS TEUS PLANOS SÃO MELHORES QUE OS MEUS. EU CONFIO NO SENHOR PARA CUIDAR DE MIM. AMÉM.

ESTUDO 3

LEIA ROMANOS 5.6–8

CRISTO NOS CHAMOU

VOCÊ SABE QUEM É O **CRISTO** QUE APARECE NO VERSÍCULO? É JESUS. CHAMAMOS ELE DE JESUS CRISTO.

JESUS CRISTO É O FILHO DE DEUS E ELE VEIO PARA A TERRA PARA VIVER IGUAL A VOCÊ. ELE CHAMA VOCÊ PARA SEGUIR OS PASSOS DELE.

EU SIGO TUDO O QUE JESUS MANDA, POIS SEI QUE ELE SABE COMO É PASSAR POR TODO TIPO DE PROBLEMA. QUANDO JESUS ME CHAMOU PARA A LUZ, EU NÃO IMAGINAVA A DIFERENÇA QUE IA FAZER NA MINHA VIDA.

JESUS CUIDA DE TUDO E, QUANDO EU OUÇO O QUE ELE DIZ, CONSIGO SENTIR PAZ NO MEU CORAÇÃO E FAZER TUDO CERTO.

ORAÇÃO

JESUS, O TEU CHAMADO ME DEU UMA VIDA MAIS FELIZ. EU VOU SEMPRE SEGUIR TEUS PASSOS. AMÉM.

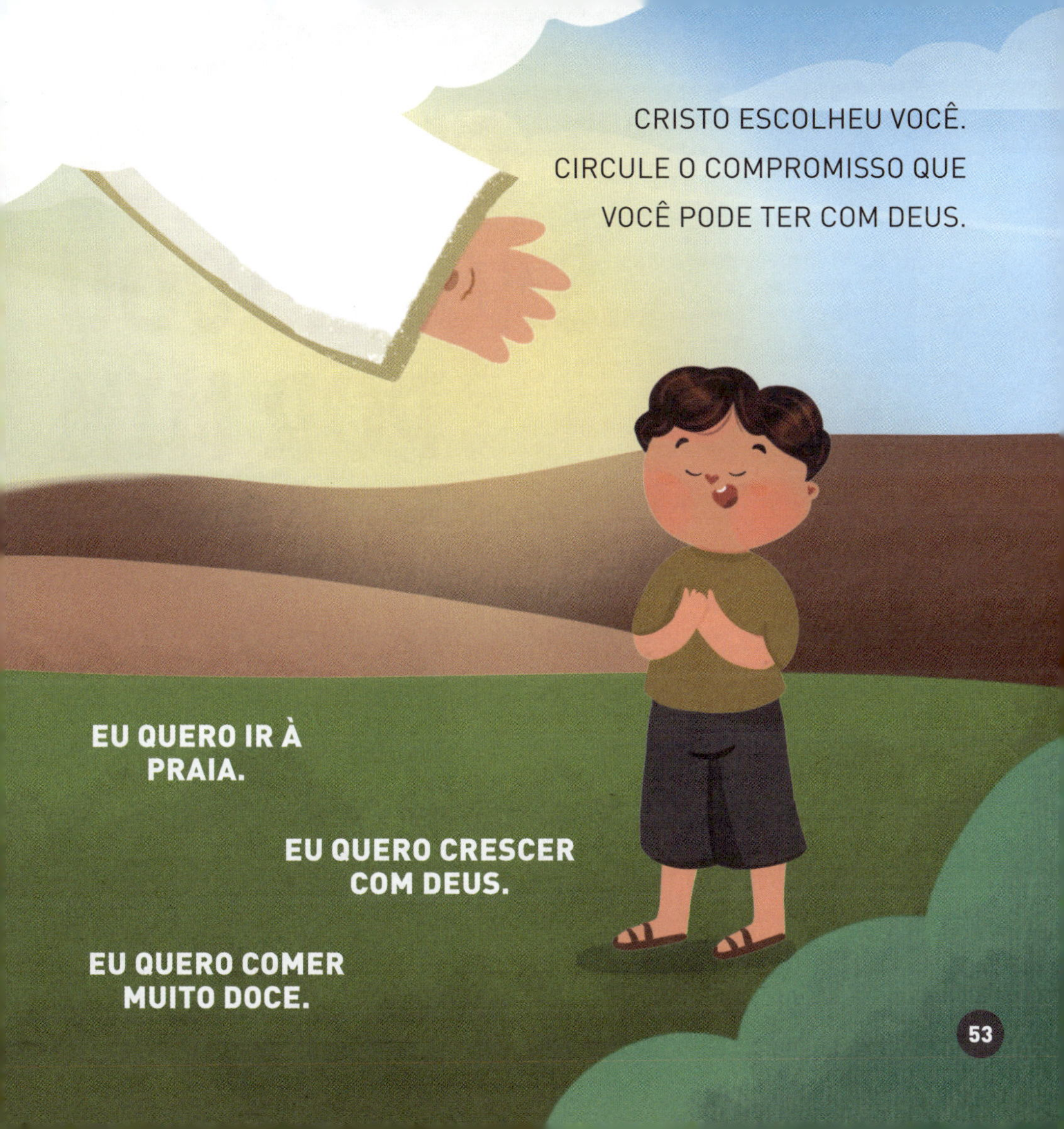

CRISTO ESCOLHEU VOCÊ.
CIRCULE O COMPROMISSO QUE
VOCÊ PODE TER COM DEUS.

EU QUERO IR À PRAIA.

EU QUERO CRESCER COM DEUS.

EU QUERO COMER MUITO DOCE.

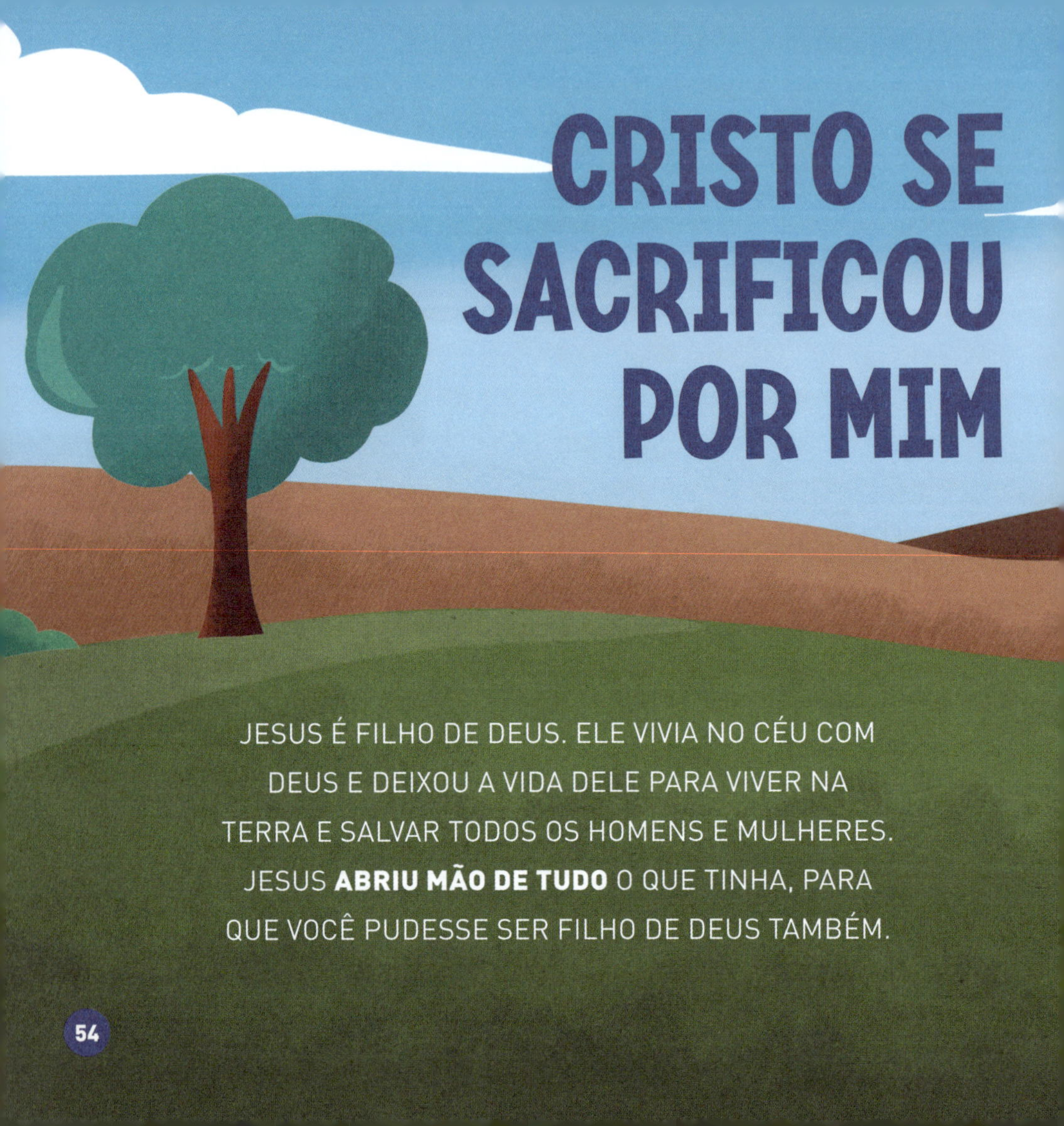

CRISTO SE SACRIFICOU POR MIM

JESUS É FILHO DE DEUS. ELE VIVIA NO CÉU COM DEUS E DEIXOU A VIDA DELE PARA VIVER NA TERRA E SALVAR TODOS OS HOMENS E MULHERES. JESUS **ABRIU MÃO DE TUDO** O QUE TINHA, PARA QUE VOCÊ PUDESSE SER FILHO DE DEUS TAMBÉM.

EU RECEBO TODO O AMOR DE JESUS POR MIM QUANDO ACEITO O SACRIFÍCIO DELE. DEUS PEDIU PARA JESUS VIR À TERRA COMO HOMEM PARA SALVAR TODO MUNDO, E JESUS OBEDECEU.

EU TENHO JESUS COMO MEU MAIOR EXEMPLO, PORQUE ELE MOSTROU COMO É BOM OUVIR E OBEDECER MESMO QUANDO ALGO NÃO PARECE SER TÃO LEGAL. POR CAUSA DO SACRIFÍCIO DE JESUS, HOJE EU POSSO TER UMA VIDA CHEIA DE AMOR.

JUNTE OS PONTOS E VEJA O SÍMBOLO DO SACRIFÍCIO DE CRISTO.

ORAÇÃO

JESUS, EU AGRADEÇO MUITO POR TUDO O QUE FEZ POR MIM E POR TODAS AS PESSOAS DO MUNDO. EU TE AMO. AMÉM.

EU NÃO MERECIA O SACRIFÍCIO

QUANDO JESUS DESCEU PARA A TERRA COMO DEUS MANDOU, AS PESSOAS NÃO SABIAM QUE ELE ERA FILHO DE DEUS. JESUS ACEITOU MORRER PARA QUE HOJE VOCÊ PUDESSE TER UMA **VIDA CHEIA DE ESPERANÇA E PAZ**.

NA BÍBLIA ESTÁ A HISTÓRIA DE JESUS. POSSO LER QUE JESUS NÃO ESPEROU QUE EU ESTIVESSE PRONTO E PERFEITO, ELE SE ENTREGOU ANTES, PARA QUE EU TIVESSE CHANCE DE SER SALVO.

O QUE ELE FEZ QUANDO MORREU POR MIM FOI ALGO MUITO ESPECIAL. JESUS SABIA QUE EU NÃO CONSEGUIRIA PASSAR POR TUDO O QUE ELE PASSOU, POR ISSO MORREU NO MEU LUGAR.

ORAÇÃO

JESUS, EU NÃO TENHO PALAVRAS PARA AGRADECER PELO QUE O SENHOR FEZ POR MIM MESMO SABENDO QUE EU NÃO MERECIA. AMÉM.

PINTE O OBJETO QUE REPRESENTA ONDE
JESUS MORREU PORQUE NOS AMAVA.

DEUS FEZ UM SACRIFÍCIO PELA HUMANIDADE

AO ENVIAR JESUS, DEUS FEZ **UM SACRIFÍCIO** POR TODA A HUMANIDADE.

DEUS CRIOU AS PESSOAS E ELAS SE AFASTARAM DELE.

MAS DEUS AMA MUITO A TODOS E ENVIOU O FILHO DELE COMO SACRIFÍCIO, PARA QUE PUDESSEM SER AMIGOS DE DEUS NOVAMENTE.

EU ESTARIA PERDIDO SE NÃO FOSSE O SACRIFÍCIO DE DEUS. QUANDO DEUS DECIDIU ME SALVAR, ELE TEVE DE FAZER UM GRANDE SACRIFÍCIO, PORQUE JESUS É O PRIMEIRO FILHO DELE.

DEUS NÃO ME PEDE NADA ALÉM DE SER IGUAL A JESUS. O SACRIFÍCIO QUE ELE FEZ POR MIM ME FAZ QUERER AGRADÁ-LO TODOS OS DIAS E SER CADA DIA MAIS PARECIDO COM O FILHO DE DEUS.

DEUS FEZ UM ENORME SACRIFÍCIO AO ENVIAR JESUS PARA MORRER POR NÓS, POIS ELE O AMAVA MUITO. ENCONTRE OS 7 ERROS NA IMAGEM QUE DESCREVE QUANDO DEUS DECLAROU SEU AMOR A JESUS DEPOIS DO BATISMO.

ORAÇÃO

DEUS, AGRADEÇO POR TEU SACRIFÍCIO E POR ME SALVAR. AMÉM.

DEUS NOS AMOU QUANDO AINDA NÃO O CONHECÍAMOS

A HUMANIDADE SE AFASTOU E SE ESQUECEU DE DEUS, MAS MESMO ASSIM ELE NUNCA DEIXOU DE NOS AMAR. QUANDO TODOS ESTAVAM PERDIDOS, DEUS CONTINUOU **CUIDANDO E AMANDO** A HUMANIDADE.

DEUS SEMPRE ME AMOU, MESMO ANTES DE EU CONHECÊ-LO. EU NÃO SOU SALVO POR ALGO QUE FIZ. ANTES MESMO DE EU CONHECER JESUS, DEUS JÁ ME AMAVA.

O SENHOR SEMPRE CUIDOU DE MIM E FICOU ME ESPERANDO COM PACIÊNCIA ATÉ EU ACEITAR O AMOR DELE.

ORAÇÃO

SENHOR DEUS, AGRADEÇO POR ME ESCOLHER ANTES MESMO DE EU TE CONHECER. AMÉM.

ESTUDO 4

LEIA 1JOÃO 4.7-10

O AMOR VEM DE DEUS

AS PESSOAS FALAM MUITO DE AMOR. MAS DE ONDE VEM O AMOR? O AMOR VEM DE DEUS. NA VERDADE, **DEUS É AMOR**.

NÃO TEM COMO SEGUIR A DEUS E NÃO AMAR AS PESSOAS, PORQUE ISSO VAI CONTRA A ESSÊNCIA DE DEUS.

QUANDO QUERO SABER COMO AMAR, EU TENHO A DIREÇÃO PERFEITA NA BÍBLIA. LÁ, EU CONSIGO LER MUITAS HISTÓRIAS DO AMOR DE DEUS. EU NÃO ENCONTRO UM AMOR TÃO PURO EM NENHUM OUTRO LUGAR A NÃO SER EM DEUS.

ELE ME MOSTRA COM EXEMPLOS, PALAVRAS E CUIDADO O QUE É AMAR E COMO AMAR.

PINTE SOMENTE AS PARTES QUE TÊM PALAVRAS DE VIRTUDE E DESCUBRA A PEÇA PRINCIPAL.

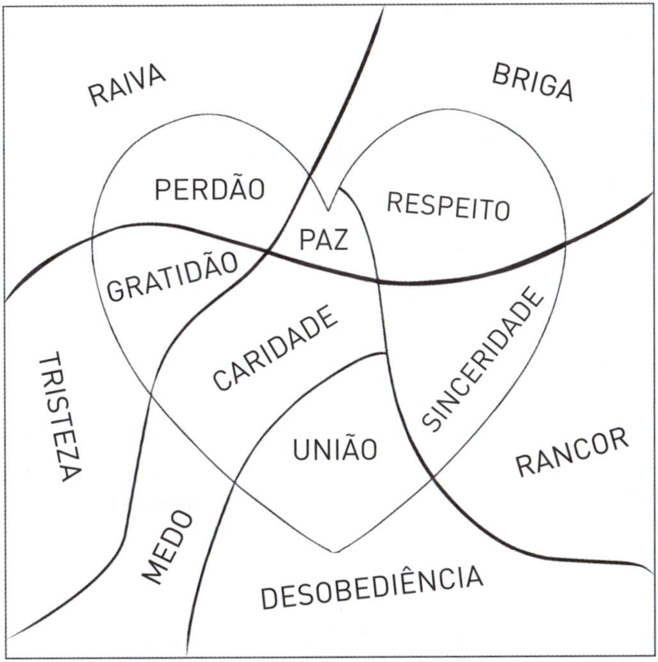

ORAÇÃO

DEUS, AGRADEÇO POR TEU AMOR E POR ME ENSINAR COMO AMAR. AMÉM.

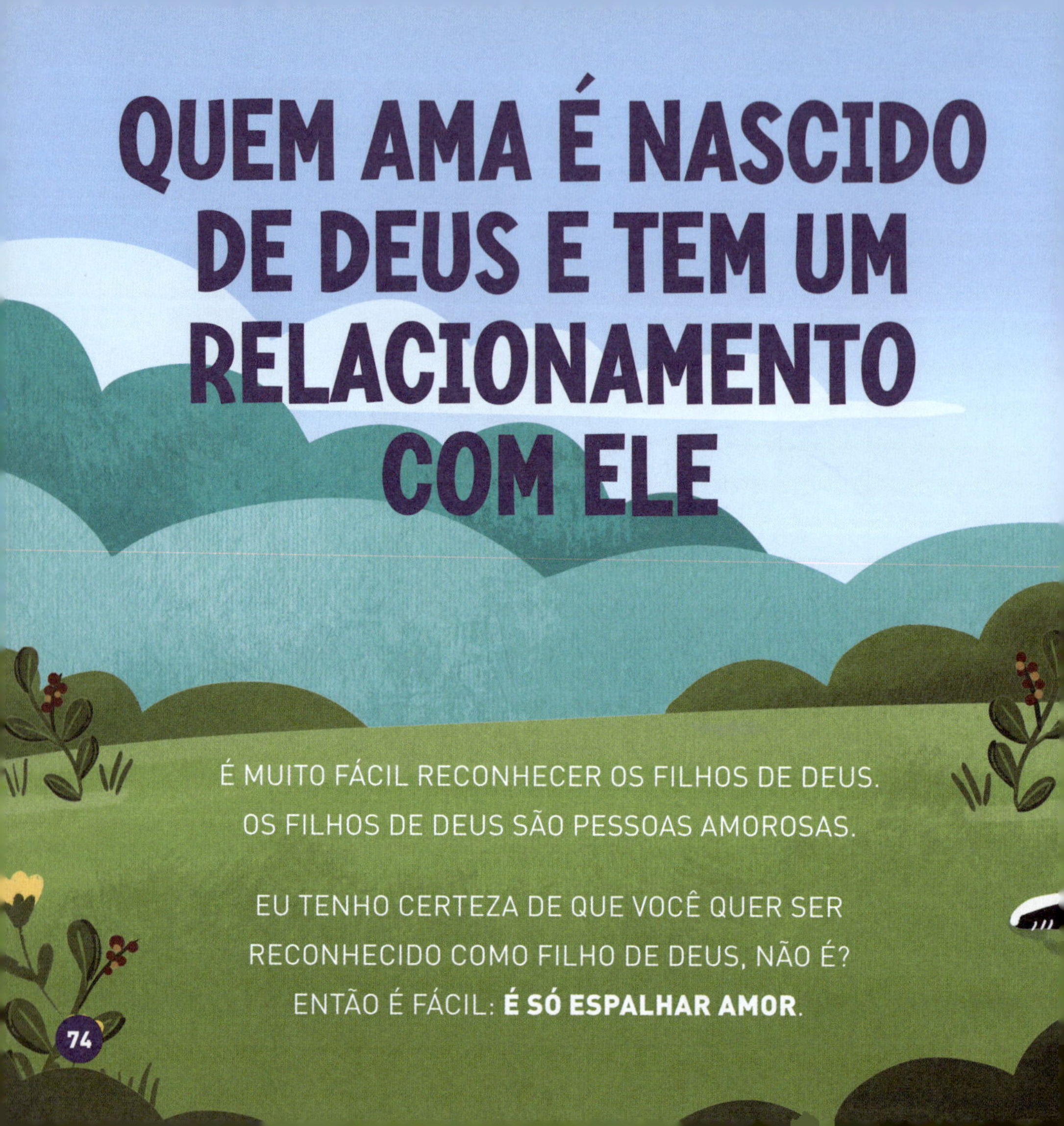

QUEM AMA É NASCIDO DE DEUS E TEM UM RELACIONAMENTO COM ELE

É MUITO FÁCIL RECONHECER OS FILHOS DE DEUS. OS FILHOS DE DEUS SÃO PESSOAS AMOROSAS.

EU TENHO CERTEZA DE QUE VOCÊ QUER SER RECONHECIDO COMO FILHO DE DEUS, NÃO É? ENTÃO É FÁCIL: **É SÓ ESPALHAR AMOR**.

MEU RELACIONAMENTO COM DEUS SE FORTALECE QUANDO TENHO MOMENTOS COM ELE. FAZER ESTE DEVOCIONAL TODOS OS DIAS JÁ ME DEIXA MAIS PERTO DO SENHOR. EU SEI QUE NÃO TEM COMO DIZER QUE SIGO A DEUS SE NÃO DEMONSTRO EM AMOR.

EU QUERO QUE MEU RELACIONAMENTO COM DEUS CRESÇA E FIQUE CADA VEZ MAIS FORTE E QUE O AMOR DELE SEJA VISTO EM MIM.

ORAÇÃO

DEUS, O TEU AMOR É TÃO GRANDE QUE PODEMOS VÊ-LO NAS PESSOAS QUE ANDAM COM O SENHOR. OBRIGADO. AMÉM.

CONTORNE O QUE VOCÊ PODE FAZER PARA TER UM RELACIONAMENTO MAIS PRÓXIMO DE DEUS.

QUEM SE RECUSA A AMAR NÃO SABE O QUE MAIS IMPORTA SOBRE DEUS

SE ALGUÉM NÃO AMA, NÃO PODE DIZER QUE É SERVO DE DEUS. O **MAIOR MANDAMENTO** QUE DEUS NOS DEIXOU É SOBRE O AMOR, ENTÃO NÃO EXISTE RELACIONAMENTO COM ELE SEM AMOR.

EU SEI QUE QUANDO TENHO SENTIMENTOS RUINS É PORQUE ESTOU AFASTADO DE DEUS. UMA PESSOA QUE NÃO AMA, SÓ ODEIA, NÃO TEM CONTATO COM DEUS, PORQUE É IMPOSSÍVEL ANDAR COM DEUS E NÃO AMAR.

QUANDO EU ESTOU BRAVO COM ALGUÉM, EU CONVERSO COM DEUS EM ORAÇÃO PARA QUE ELE TIRE AQUILO DO MEU CORAÇÃO E EU POSSA VOLTAR A AMAR.

PINTE AS PEÇAS DE ACORDO COM OS NÚMEROS E DESCUBRA QUEM É NOSSO MAIOR EXEMPLO DE AMOR.

1 - AZUL
2 - VERDE
3 - PRETO
4 - BEGE
5 - LARANJA
6 - ROSA

ORAÇÃO

DEUS, O SENHOR É AMOR E EU QUERO SEMPRE ESTAR PERTO DE TI PARA AMAR CADA DIA MAIS. AMÉM.

DEUS É AMOR

VOCÊ JÁ OUVIU MUITO SOBRE O AMOR DE DEUS. MAS VOCÊ SABIA QUE DEUS É O PRÓPRIO AMOR?

O **AMOR VEM DE DEUS** PORQUE ELE É AMOR. NÃO EXISTE DEUS SEM AMOR E NÃO EXISTE AMOR SEM DEUS.

EU SEI QUE DEUS ME AMA PORQUE ELE É AMOR. ELE NÃO PODE DEIXAR DE AMAR, PORQUE A ESSÊNCIA DE DEUS É O AMOR, POR ISSO ELE CUIDA TÃO BEM DE MIM.

EU SINTO DEUS ATRAVÉS DO AMOR, PORQUE SEI QUE DEUS ESTÁ ONDE O AMOR ESTÁ. É FÁCIL RECONHECER ONDE DEUS ESTÁ, PORQUE O AMOR SEMPRE VAI SER MAIOR.

ESCREVA AS VOGAIS QUE FALTAM PARA LER A MENSAGEM.

D__ __S _

__M__R

ORAÇÃO

DEUS, AGRADEÇO PORQUE TU ÉS AMOR
E NÃO NEGAS A TUA ESSÊNCIA. AMÉM.

DEUS PERDOA OS NOSSOS PECADOS

VOCÊ SABE O QUE É PECADO?

PECADO É TUDO O QUE NÃO AGRADA A DEUS.

QUANDO VOCÊ GRITA, DESOBEDECE, MENTE, BRIGA, DEUS NÃO GOSTA. MAS DEUS AMA TANTO VOCÊ QUE PERDOA SEMPRE QUE VOCÊ SE ARREPENDE E PEDE PERDÃO.

EU ME SINTO MUITO MAL QUANDO FAÇO ALGUMA COISA QUE DEIXA DEUS TRISTE. EU AGRADEÇO MUITO PORQUE TENHO JESUS QUE ME PROTEGE DOS MEUS PECADOS, COMO UM GUARDA-CHUVA ME PROTEGE DA CHUVA.

MESMO QUANDO EU SAIO DA PROTEÇÃO DE JESUS E FAÇO ALGO RUIM, EU POSSO PEDIR PERDÃO E DEUS ME PERDOA.

ORAÇÃO

DEUS, AGRADEÇO PELO SACRIFÍCIO DE JESUS, QUE ME PERMITE SER PERDOADO PELOS MEUS PECADOS. AMÉM.

ESTUDO 5

LEIA JOÃO 3.16-18

DEUS NÃO QUER CONDENAR NINGUÉM

VOCÊ JÁ DEVE TER PERCEBIDO QUE O AMOR DE DEUS É ALGO MUITO GRANDE. POR ISSO, É CLARO QUE DEUS NÃO QUER QUE **NINGUÉM SOFRA**.

SE VOCÊ JÁ OUVIU FALAR DO INFERNO, SABE QUE NÃO É UM LUGAR BOM. SAIBA TAMBÉM QUE DEUS NÃO QUER QUE NINGUÉM VÁ PARA LÁ.

DEUS FICA MUITO TRISTE QUANDO AS PESSOAS NÃO ACEITAM O AMOR DELE E, ASSIM, ACABAM SOFRENDO. DEUS ENVIOU O FILHO DELE, JESUS, PORQUE NÃO QUER QUE EU SEJA CONDENADO.

SÓ DE SABER DISSO EU JÁ FICO FELIZ E BUSCO FAZER TUDO O QUE AGRADE A DEUS, POIS SEI QUE ELE FICA TRISTE QUANDO FAZEMOS COISAS ERRADAS.

ORAÇÃO

SENHOR DEUS, EU SEI QUE O SENHOR SÓ QUER O MEU BEM, POR ISSO EU TE AGRADEÇO E SOU FIEL A TI. AMÉM.

QUAL É A ÚNICA COISA QUE PODE NOS SEPARAR DE DEUS?
COMPLETE A IMAGEM (LEIA ROMANOS 3.23 NA BÍBLIA).

TODOS OS QUE CREEM SERÃO SALVOS

NÃO É NADA DIFÍCIL FICAR PERTO DE DEUS. ELE MANDOU JESUS À TERRA PARA QUE VOCÊ E TODA A HUMANIDADE PUDESSEM SER SALVOS.

TUDO O QUE VOCÊ PRECISA FAZER É **CRER NA PALAVRA** DE DEUS E SEGUIR OS PASSOS DE JESUS.

JESUS É O ÚNICO CAMINHO PARA O CÉU. QUANDO EU CONHECI JESUS, ACHEI O CAMINHO QUE PRECISO SEGUIR PARA CHEGAR PERTO DE DEUS. TODO MUNDO PODE SER SALVO, FOI POR ISSO QUE JESUS MORREU.

EU CONHECI ESSA VERDADE E MINHA VIDA NUNCA MAIS FOI A MESMA, POIS AGORA SEI QUE A MINHA SALVAÇÃO ESTÁ GARANTIDA EM NOME DO SENHOR JESUS.

ESCREVA NO CAMINHO O NOME DO ÚNICO QUE PODE NOS CONDUZIR AO CÉU.

ORAÇÃO

DEUS, AGRADEÇO PELA OPORTUNIDADE QUE O SENHOR ME DEU DE SER SALVO POR JESUS. AMÉM.

DEUS QUER NOS DAR VIDA PLENA E ETERNA

DEUS NÃO QUER APENAS QUE VOCÊ NÃO SEJA CONDENADO. ELE QUER QUE VOCÊ TENHA **VIDA ETERNA** E PLENA. VOCÊ SABE COMO VIVER UMA VIDA PLENA?

DEUS ME DEIXOU A BÍBLIA PARA QUE EU POSSA LER E ESTUDAR TODOS OS DIAS E, ASSIM, ESTAR CADA VEZ MAIS PERTO DA VIDA ETERNA COM ELE. DEUS ME MOSTRA TODOS OS DIAS O CAMINHO QUE EU TENHO DE SEGUIR.

QUANDO EU LEIO A BÍBLIA E CONVERSO COM DEUS ATRAVÉS DA ORAÇÃO, CONSIGO OUVIR O QUE ELE FALA E GARANTIR A VIDA ETERNA.

PINTE OS PASSOS DO CAMINHO PARA DESCOBRIR PARA ONDE O ESTUDO DA BÍBLIA NOS LEVA:

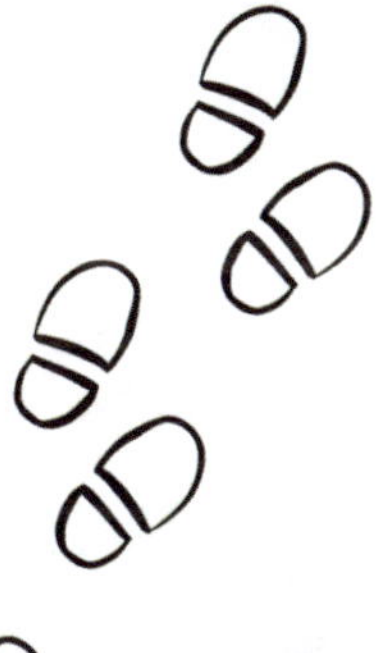

ORAÇÃO

DEUS, AGRADEÇO PORQUE, POR TEU AMOR, EU POSSO TER UMA VIDA PLENA E ETERNA. AMÉM.

QUEM CONFIAR EM DEUS SERÁ PERDOADO

O PLANO DE DEUS É QUE **VOCÊ SEJA SALVO**. ELE FAZ TUDO PARA QUE NINGUÉM SEJA CONDENADO. SE VOCÊ CONFIA EM DEUS, VOCÊ É LIBERTO.

EU SEI QUE DEUS NÃO QUER QUE EU SOFRA. ELE DEIXOU BEM CLARO NA BÍBLIA QUE QUEM CONFIAR NELE SERÁ ABSOLVIDO DE TODO O PECADO. EU PROCURO SEGUIR O CAMINHO DE JESUS PARA QUE EU NÃO SEJA CONDENADO.

DEUS DEIXOU A PALAVRA DELE PARA QUE EU PUDESSE CONHECER O CAMINHO PARA A SALVAÇÃO E PARA EU SABER QUE PRECISO CONFIAR SOMENTE NELE.

ENCONTRE O CAMINHO QUE AQUELES QUE CONFIAM EM DEUS SEGUEM PARA CHEGAR A JESUS E SER SALVOS.

ORAÇÃO

DEUS, AGRADEÇO POR ME SALVAR E PEÇO QUE EU SEJA TESTEMUNHA PARA QUE OUTROS CONFIEM EM TI. AMÉM.

QUEM NÃO CONFIAR SERÁ CONDENADO

É MUITO SIMPLES SER SALVO. VOCÊ PRECISA **APENAS CONFIAR**. MAS ISSO TAMBÉM QUER DIZER QUE, SE VOCÊ NÃO CONFIA EM DEUS, SERÁ CONDENADO.

MAS NÃO SE PREOCUPE. QUANDO VOCÊ ACEITA JESUS COMO SEU SALVADOR, SUA CONFIANÇA EM DEUS SÓ CRESCE.

EU SEI QUE NÃO VOU SER CONDENADO, POIS JÁ ACEITEI JESUS COMO MEU SALVADOR. MESMO ASSIM, EU NÃO PARO DE BUSCAR SER IGUAL A JESUS TODOS OS DIAS.

EU FALO DO AMOR DE DEUS PARA TODO MUNDO, PORQUE EU SEI QUE SÓ QUEM CONFIAR EM DEUS, EM JESUS E NA BÍBLIA NÃO SERÁ CONDENADO. POR ISSO EU SOU TESTEMUNHA DE DEUS EM TODOS OS LUGARES QUE EU VOU.

ORAÇÃO

DEUS, AGRADEÇO PELA OPORTUNIDADE DE CONHECER O SENHOR E PODER CONFIAR MINHA VIDA A TI. AMÉM.

ESTUDO 6

LEIA SALMOS 139.13-16

DEUS ME AMA E ME FORMOU

EM GÊNESIS, VOCÊ LÊ QUE DEUS FEZ O HOMEM E A MULHER À IMAGEM E SEMELHANÇA DELE. ISSO QUER DIZER QUE **DEUS CRIOU VOCÊ IGUAL A ELE TAMBÉM**.

EU SEI QUE POSSO SER AMOR, IGUAL A DEUS, PORQUE ELE ME FEZ À SEMELHANÇA DELE. DEUS ME AMA TANTO QUE ME FORMOU DO JEITINHO QUE EU SOU PARA SER TESTEMUNHA DO AMOR DELE.

ELE PENSOU EM CADA DETALHE E ME CRIOU PARA SER UM FILHO AMADO E ESPECIAL. DEUS ME FEZ COM MUITOS TALENTOS E EU USO ESSES TALENTOS PARA A GLÓRIA DELE.

ORAÇÃO

DEUS, AGRADEÇO POR ME FAZER À TUA SEMELHANÇA. SOU FELIZ POR SER QUEM EU SOU. AMÉM.

DESENHE VOCÊ E CONTORNE SEUS TALENTOS. VOCÊ TAMBÉM PODE ESCREVER OUTROS TALENTOS.

MÚSICA

-COMPOR

-TOCAR UM INSTRUMENTO

ARTES

-PINTAR

-ATUAR

-DESENHAR

ESPORTES

-CORRER

-JOGAR VÔLEI

-NADAR

LEITURA

-ESCREVER

-LER

CULINÁRIA

-COZINHAR

EU LOUVO E ADORO A DEUS

SUAS AÇÕES DIÁRIAS SÃO REFLEXO DO QUE VOCÊ TEM NO CORAÇÃO. DEUS QUER O SEU LOUVOR E A SUA ADORAÇÃO.

LOUVAR E ADORAR A DEUS É UMA FORMA DE ESTAR MAIS PERTO DELE.

EU LOUVO A DEUS NÃO SOMENTE QUANDO ESTOU NO CULTINHO NA IGREJA, MAS EM TUDO O QUE FAÇO.

QUANDO EU ESTOU NA ESCOLA, NAS MINHAS ATIVIDADES, EM CASA, SEMPRE SOU COMO JESUS EM TUDO O QUE FAÇO, POIS MINHAS AÇÕES SÃO FRUTO DO QUE TENHO NO MEU CORAÇÃO.

ORAÇÃO

EU TE LOUVO POR TUDO O QUE O SENHOR É NA MINHA VIDA E EU QUERO TE ADORAR TODOS OS DIAS. AMÉM.

PINTE O CAMINHO E DESCUBRA O QUE ESTÁ ESCRITO EM PROVÉRBIOS 20.11.

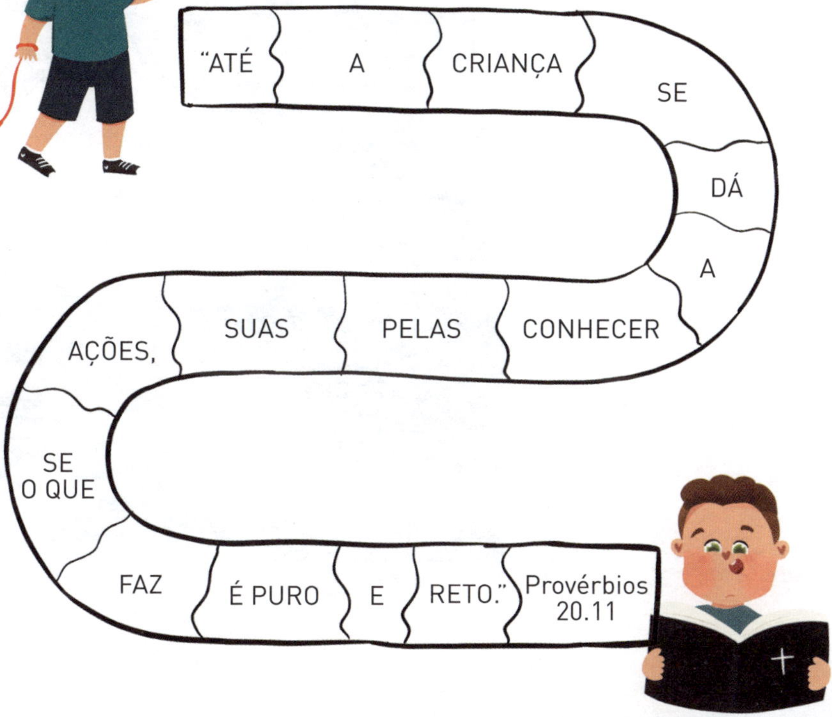

DEUS CONHECE TODA A MINHA VIDA

DEUS CONHECE TODAS AS PESSOAS. ELE CONHECE VOCÊ DESDE ANTES DE VOCÊ NASCER. E ELE **SABE TUDO** O QUE VOCÊ AINDA VAI VIVER.

EU SEI QUE DEUS CONHECE TODA A MINHA VIDA. EU TENHO COMPROMISSO COM DEUS PARA CHEGAR AO ALVO, QUE É JESUS.

EU PRECISO AGIR DIARIAMENTE COMO UMA PESSOA QUE AMA A DEUS, POIS SEI QUE ELE ME ESCOLHEU. DEUS SABE TUDO O QUE JÁ PASSEI E CONHECE TODOS OS MEUS PASSOS. EU BUSCO A VONTADE DE DEUS PARA A MINHA VIDA EM TUDO O QUE FAÇO.

TRACE O CAMINHO DE COMPROMISSOS PARA ESTARMOS PERTO DE DEUS.

ORAÇÃO

DEUS, OBRIGADO POR ME CONHECER E ME ESCOLHER PARA VIVER COM O SENHOR. AMÉM.

DEUS CUIDA DE MIM DESDE ANTES DE EU NASCER

DEUS É UM PAI DE AMOR. MUITO ANTES DE VOCÊ NASCER, ELE JÁ CUIDAVA DE VOCÊ. **DEUS SABE TUDO** DE QUE VOCÊ PRECISA, POIS ELE CONHECE VOCÊ COMO MAIS NINGUÉM CONHECE.

DEUS ME AMA E CUIDA DE MIM MESMO ANTES DE EU NASCER. ELE FEZ O SACRIFÍCIO PELA MINHA VIDA MESMO ANTES DE EU EXISTIR OU SABER DA EXISTÊNCIA DELE. NÃO HÁ AMOR MAIOR NO MUNDO DO QUE O DE DEUS POR MIM E POR TODAS AS PESSOAS.

DEUS DECIDIU SE ENTREGAR POR MIM
MESMO ANTES DE EU DEMONSTRAR
SE EU IA SER FIEL OU NÃO.

POR ISSO HOJE
SOU FIEL A DEUS,
PORQUE ELE
ACREDITOU
PRIMEIRO.

PINTE ESTA IMAGEM QUE REPRESENTA DEUS CUIDANDO DE VOCÊ.

ORAÇÃO

SENHOR DEUS, AGRADEÇO POR ME ESCOLHER ANTES MESMO DE EU NASCER. AMÉM.

EU RETRIBUO O AMOR DE DEUS

NÃO HÁ NADA QUE VOCÊ POSSA FAZER PARA IGUALAR O SACRIFÍCIO DE DEUS POR VOCÊ. MAS VOCÊ **PODE RETRIBUIR** O GRANDE AMOR QUE ELE TEM POR VOCÊ EM PEQUENAS E GRANDES COISAS NO SEU DIA.

EU SEI QUE DEUS ME AMA E QUERO MOSTRAR MEU AMOR POR ELE. EU BUSCO FAZER TUDO O QUE AGRADA A DEUS, PARA QUE ELE SAIBA QUE SOU MUITO FELIZ POR SENTIR O AMOR DELE.

TODOS OS DIAS EU DEMONSTRO MEU AMOR POR DEUS FAZENDO COISAS PARA AS OUTRAS PESSOAS, POIS JESUS ENSINOU QUE DEVEMOS AMAR O PRÓXIMO.

ENCONTRE NO CAÇA-PALAVRAS O QUE DEVEMOS FAZER PARA AGRADAR A DEUS.

T	D	M	G	O	B	E	D	E	C	E	R
E	E	Y	L	M	R	A	T	D	J	R	A
S	U	P	E	S	E	T	A	U	E	O	V
C	S	B	J	L	S	A	Z	L	S	I	U
O	R	Í	P	K	P	R	N	T	U	F	O
N	E	B	D	R	E	O	Ç	E	S	T	L
F	D	L	X	R	I	C	M	R	S	C	K
I	V	I	D	A	T	W	L	M	U	S	H
A	V	A	O	R	A	Ç	Ã	O	H	R	O
R	F	J	A	G	R	A	D	E	C	E	R

Amar a ~~DEUS~~ e ao próximo

OBEDECER aos nossos pais

RESPEITAR os mais velhos

LOUVAR e adorar a Deus

Seguir os passos de JESUS

Ler a BÍBLIA

Falar com Deus por meio da ORAÇÃO

AGRADECER a Deus por seu amor

Dar a VIDA pelos nossos amigos

CONFIAR em Deus

ORAÇÃO

DEUS, EU SEI QUE NUNCA VOU CONSEGUIR RETRIBUIR TEU AMOR, MAS TODOS OS DIAS EU VOU DEMONSTRAR O QUANTO TE AMO E SOU GRATO. AMÉM.

CONCLUSÃO

OI, AMIGUINHO!

FOI MUITO ESPECIAL PARA MIM ESTAR COM VOCÊ DURANTE CADA UM DESSES ESTUDOS SOBRE O AMOR DE DEUS PAI!

OBRIGADO POR TOMAR CAFÉ CONOSCO ESTES DIAS.

ESPERO QUE, COMO EU, VOCÊ TENHA APRENDIDO MUITO SOBRE DEUS PAI E TENHA SE TORNADO UM SEGUIDOR DE JESUS.

QUERO PEDIR UM PRESENTE PARA VOCÊ. O QUE VOCÊ ACHA DE FAZER UM LINDO DESENHO SOBRE O QUE VOCÊ APRENDEU E COLOCAR NAS SUAS REDES SOCIAIS E ME MARCAR, @JUNIORROSTIROLA, PARA EU VER?

FICO ESPERANDO! ATÉ BREVE,

JUNIOR ROSTIROLA

ESTA OBRA FOI COMPOSTA EM *DIN PRO*
E IMPRESSA POR GRÁFICA PIFFER PRINT SOBRE PAPEL
OFFSET 90 G/M² PARA EDITORA VIDA.

ESTA OBRA FOI COMPOSTA EM *DIN PRO*
E IMPRESSA POR GRÁFICA PIFFER PRINT SOBRE PAPEL
OFFSET 90 G/M² PARA EDITORA VIDA.